D1115701

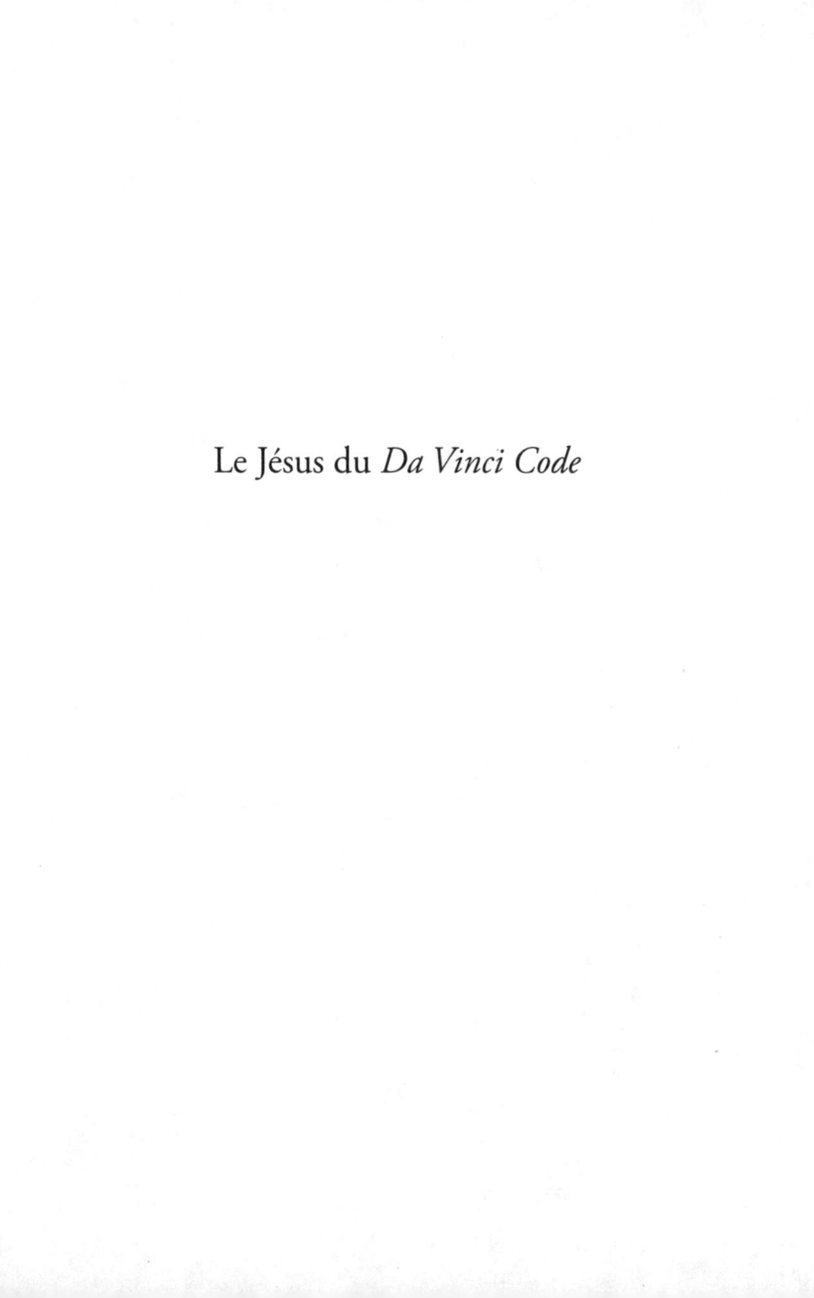

Le Jésus du *Da Vinci Code*

Jean-Paul Michaud

Le Jésus du *Da Vinci Code*

Fiction, histoire et foi

Catalogage avant publication de Bibliothèque et Archives Canada

Michaud, Jean-Paul, 1932-

Le Jésus du *Da Vinci Code* : fiction, histoire et foi

ISBN-13 : 978-2-7621-2720-1
ISBN-10 : 2-7621-2720-3

1. Brown, Dan, 1964- . Da Vinci Code. 2. Jésus-Christ dans la littérature.
3. Jésus-Christ - Biographie. I. Titre.

PS3552.R68139D33 2006B 813'.54 C2006-940410-0

Dépôt légal : 2e trimestre 2006
Bibliothèque nationale du Québec

Les Éditions Fides remercient de leur soutien financier le ministère du Patrimoine canadien, le Conseil des Arts du Canada et la Société de développement des entreprises culturelles du Québec (SODEC).
Les Éditions Fides bénéficient du Programme de crédit d'impôt pour l'édition de livres du Gouvernement du Québec, géré par la SODEC.

IMPRIMÉ AU CANADA EN AVRIL 2006

INTRODUCTION

Puisque beaucoup ont entrepris de composer un récit des événements accomplis parmi nous, d'après ce que nous ont transmis ceux qui furent dès le début témoins oculaires et qui sont devenus serviteurs de la parole, il m'a paru bon, à moi aussi, après m'être informé de tout à partir des origines, d'en écrire pour toi un récit ordonné, très honorable Théophile, afin que tu puisses constater la solidité des enseignements que tu as reçus.

Évangile selon Luc 1, 1-4

Ce « Théophile » à qui Luc adresse son évangile était-il un personnage historique ou tout simplement un personnage *littéraire*, le lecteur privilégié à qui l'auteur s'adresse à travers les âges, « ami de Dieu » qui se préoccupe de ce qu'on raconte sur Jésus ? Un ami de Dieu inquiété dans sa foi, peut-être, au point d'avoir besoin d'en vérifier la solidité ? Différents Jésus circulaient déjà parmi les premiers chrétiens, différents écrits avaient repris les traditions qu'on se transmettait de bouche à oreille, traditions orales qui n'en continuaient pas moins leur cheminement dans les diverses communautés. Marc venait d'écrire son évangile. On disait sans doute que la communauté de Matthieu préparait aussi son portrait de Jésus. Était-ce toujours le même Jésus ? Les « autres » savaient-ils des choses à son sujet qu'on nous avait cachées peut-être, en tout cas qui ne s'étaient pas rendues jusqu'à nous ? Tous ces portraits ressemblaient-ils vraiment au Jésus qui avait réellement existé ? Théophile en était-il troublé ? Luc, en tout cas, « après s'être informé de tout depuis les origines », après avoir lu donc les écrits existants, s'être fait raconter les traditions conservées précieusement par les communautés, décide d'écrire son propre récit qu'il envoie à Théophile afin, dit-il, « que tu puisses constater la solidité des enseignements que tu as reçus ».

À l'exemple de Luc et pour vérifier la « solidité des enseignements reçus », des savants, à toutes les époques, ont repris inlassablement l'analyse de ces textes anciens qui parlent de Jésus. Ils continuent de le faire, à la lumière notamment de nouvelles découvertes. Malheureusement, les recherches scientifiques de ces personnages qu'on appelle exégètes (d'un mot grec qui signifie : expliquer, interpréter), recherches qui supposent des compétences de toutes sortes[1], ne rejoignent guère le grand public. Il aura suffi d'un roman, saupoudré, il est vrai, de quelques affirmations sulfureuses, pour que soudain des millions de personnes cherchent à savoir ce qu'il en est du *vrai Jésus*. D'où viennent les traditions qu'on raconte sur lui ? Quels sont les textes sources, ceux qu'on a retenus au cours des siècles et de qui tous les autres dépendent ? L'imagination s'est-elle mêlée aux souvenirs des témoins ? Ces questions et bien d'autres, débattues depuis des siècles par les exégètes du Nouveau Testament, mais reléguées le plus souvent aux pages austères des commentaires scientifiques, ont surgi tout à coup comme des nouveautés à l'occasion du succès fabuleux du roman de Dan Brown, le *Da Vinci Code*, vendu à des millions et des millions d'exemplaires[2]. Autour du livre, toute une littérature parasite s'est développée qui prétend en révéler « les secrets » et ajoute à la publicité. Le film qu'on en a tiré va bientôt envahir tous les écrans et réanimer les discussions.

Pour les « Théophiles » d'aujourd'hui qui seraient, sinon inquiets pour leur foi, du moins désemparés peut-être et ne sachant plus trop distinguer entre la fiction, le Jésus de la Galilée du premier siècle et le Jésus de la foi, je voudrais, en tant qu'exégète qui est aussi lecteur et amateur de romans, débroussailler quelque peu le chemin qui mène au *vrai Jésus*, un chemin où le roman a mêlé astucieusement imaginations, légendes et demi-vérités. Sous le titre général « Le Jésus du *Da Vinci Code* » qui en a fourni l'occasion, cet entretien traitera donc de fiction, d'histoire et de foi ou, si vous préférez, du *Jésus du roman*, du *Jésus de l'histoire* et du *Jésus de la foi*[3]. La première partie, en raison évidemment des questions qu'elle soulève et des réponses qu'elle exige (les réponses sont toujours plus longues que les questions !), sans être la plus importante, nous retiendra davantage.

Le roman

Le roman est assurément très connu. Il faut néanmoins en souligner quelques points importants et nous remettre dans l'atmosphère.

Le secret du Graal

Jacques Saunière, assassiné au tout début du roman, n'était pas seulement le conservateur en chef du musée du Louvre, mais avant tout le Grand Maître d'une fraternité appelée le Prieuré de Sion (dont l'origine même se rattacherait, prétend-on, à Godefroy de Bouillon, après la première croisade [1096-1099] et à la fondation qui suivit de l'ordre des Templiers en 1119 [p. 7, 203[4]], et que Dan Brown rattache en plus aux sociétés secrètes liées au symbole de la Rose, comme l'ordre de la Rose-Croix [p. 318]), Prieuré qui conservait le secret du Graal (p. 331). Un secret qui comporte deux volets pour ainsi dire : celui de la nature véritable du Graal (p. 404) et celui de l'emplacement où ce Graal serait caché (p. 331), avec les documents (« quatre énormes malles », dit-on, p. 415) établissant la preuve de cette nature véritable.

Selon la légende universelle (qu'on retrouve dans les dictionnaires, voir *Petit Robert 2*), le Graal ou le Saint-Graal est le vase sacré, le calice, qui, après avoir servi à Jésus pour la Cène, le dernier repas de Jésus avec les apôtres, aurait à la crucifixion recueilli le sang jailli de ses plaies. Aux 12e et 13e siècles, les *romans* (je souligne) de Robert de Boron, trouvère normand, et surtout de Chrétien de Troyes (v. 1135 - v. 1183) racontent la « quête » allégorique, où se mêlent réel et surréel, du Graal par les chevaliers de la Table ronde : Perceval (sa quête du Graal symbolise la condition humaine à la recherche de la Vérité), Lancelot (le chevalier servant de Guenièvre, épouse du roi Arthur) et Galaad (fils de Lancelot qui, par sa pureté, obtient de contempler le mystère du Graal).

Mais dans le roman de Brown, le calice qui contient le sang du Christ devient une personne, Marie-Madeleine, qui porte en elle la lignée royale de Jésus, le sang royal[5] :

> *Et voilà, clama Teabing [et Brown à travers lui] comment l'Église a réussi la plus grande opération de désinformation de toute l'histoire de l'humanité. Jésus n'était pas seulement marié, il était père ! Marie-Madeleine était vérita-*

blement le Vase sacré, porteuse du fruit d'une union royale ! Elle était dépositaire de la lignée (p. 404-405).

Selon Brown-Teabing, « toute la légende du Graal se rapporte à cette descendance royale[6] » (p. 405). « Littéralement, la fameuse quête du Graal n'est rien d'autre que le désir de s'agenouiller devant les reliques de Marie-Madeleine. Le voyage qui conduit à se recueillir devant celle qui a été rejetée, devant le Féminin sacré » (p. 416). « La cachette du Graal serait... un tombeau qui conserve les reliques de Marie-Madeleine et les documents relatant sa véritable histoire » (p. 416).

L'agenouillement final devant une voix mystérieuse, issue du fond des âges...

Après avoir déchiffré le code qui révèle la vraie nature du Graal à partir de *La Cène* de Léonard de Vinci, toute la quête haletante de Robert Langdon, de Sophie Neveu (petite-fille de Jacques Saunière) et de Leigh Teabing (l'historien qui est en fait le Maître secret et sinistre qui commande les assassinats commis par le moine albinos Silas, membre de l'Opus Dei, et qui mène aussi par le bout du nez le dirigeant de l'Opus Dei, Mgr Aringarosa) vise à retrouver les reliques de Marie-Madeleine et ces documents censés fournir la preuve de la descendance de Jésus. Mais à la fin du roman, on ne découvre ni reliques, ni vase sacré, ni documents fournissant la preuve que Jésus était marié et qu'il était, avec Marie-Madeleine, père d'une fille du nom de Sarah (p. 413), mais ce qu'on découvre, ce que Robert Langdon découvre dans l'*Épilogue*, (p. 740), c'est, pour ainsi dire, le reliquaire de Marie-Madeleine, à la jonction de la *Pyramide inversée* et d'une minuscule pyramide dans le Carroussel du Louvre, le centre commercial souterrain à côté du musée du Louvre (p. 739). Brown insinue alors que cette pyramide minuscule ne serait que la pointe, le sommet d'une voûte pyramidale souterraine renfermant le sarcophage de Marie-Madeleine (p. 740)[7]. Il faut retenir l'image finale de Robert Landgon, tombé à genoux (ce qui était l'objectif même de la quête du Graal, p. 416) devant ce prétendu reliquaire, semblant « un instant entendre le chant d'une femme... une voix de sagesse très ancienne [qui] montait des entrailles de la terre » (p. 741). Toute cette aventure, donc, pour un agenouillement devant le Féminin sacré ! C'est là, me semble-t-il, le vrai sens du roman, la thèse qui sous-tend tout le livre. La découverte du secret porte sur la place de la femme dans la religion.

Brown aurait peut-être mieux fait de s'en tenir à ce que dit la grand-mère de Sophie, Marie Chauvel (p. 720), à la fin du roman : « J'ai le sentiment que, pour la plupart d'entre nous, [le Graal] est tout simplement un idéal très noble, un trésor inaccessible, qui introduit un peu de grâce dans le chaos du monde actuel » (p. 724). Une métaphore de la quête de la vérité...

Le contrat avec le lecteur

Il n'y aurait rien à redire à ce roman s'il se contentait d'être un roman, s'il se présentait surtout comme un roman. Or ce n'est pas le cas. Avant même de commencer son roman, avant son prologue, Brown donne un préambule qui introduit dans son texte une aura, une prétention de vérité. Roman, imagination, invention ou bien histoire, réalité, vérité ? Cette entrée en matière brouille les pistes et fausse la réception de son texte[8]. Où passe désormais la ligne entre fait et fiction? C'est souvent dans une préface ou une introduction que l'auteur manifeste ses intentions et indique comment il souhaite que son texte soit lu. C'est une manière d'établir, pour ainsi dire, un contrat avec son lecteur. **Quel est donc le contrat que Brown propose à ceux et celles qui ouvrent son livre?** Il va, dit-il, leur présenter un certain nombre de *faits*. Mais surtout, et il prend bien soin de le dire, toutes les descriptions des *documents* qu'il va utiliser, fournissant selon lui la preuve de l'existence «de la plus grande opération de désinformation de toute l'histoire de l'humanité», sont «avérées».

Dès le début, en effet, une page intitulée «Les Faits» (en anglais: *Fact*) incite le lecteur à accepter comme réalités, comme vérités, certains éléments de son texte[9].

Parmi ces faits, deux sociétés sont d'abord mentionnées: le Prieuré de Sion et l'Opus Dei. Or, si l'existence de l'Opus Dei, mouvement qui compterait actuellement 85 000 membres dans le monde, est bien avérée, même si le roman en trace une caricature, la société secrète du Prieuré de Sion, supposément fondée en 1099, est connue comme une mystification montée par un personnage douteux. Le document qui aurait été découvert à la Bibliothèque nationale de Paris est un faux créé par un certain Pierre Plantard de Saint-Clair (ce sont les noms des ancêtres de Sophie, p. 721 ! Faut-il y voir un clin d'œil de l'auteur ?) qui a inventé ce Prieuré de Sion en 1956[10]. Mais ce qui nous concerne avant tout c'est le court paragraphe final, où il est affirmé que :

> *Toutes les descriptions de monuments, d'œuvres d'art, de documents et de rituels secrets évoqués sont avérées (p. 7).*

Avérées, donc certaines et sûres. Le texte anglais porte « accurate », c'est-à-dire fidèles, exactes. À la manière d'un musicien, l'auteur place au début de son œuvre la clé qui commande toute la musique qui va suivre. À partir de là, la fiction romanesque cède la place à la vérité historique dans l'esprit de beaucoup de lecteurs. Supercherie ? Mystification ? Notons du moins, pour le moment, que c'est très consciemment, et sans aucun doute pour allécher son lecteur, que l'auteur ajoute à son roman cette aura de vérité.

Nous laisserons de côté monuments et œuvres d'art[11], pour nous occuper des *documents* dont Dan Brown nous propose, dit-il, une *description avérée*. Le Jésus de Dan Brown en dépend assurément, mais c'est de documents également que dépendent le *Jésus de l'histoire* et celui de la foi.

D'entrée de jeu, il faut retenir en effet qu'il n'y a pas d'*histoire* ou, si l'on veut, de faits *avérés*, de représentation des choses passées, sans documents, sans vestiges (ce qui demeure d'une chose détruite ou disparue), sans traces de ce passé. « La trace est à la connaissance historique ce que l'observation directe ou instrumentale est aux sciences de la nature[12]. » Plus prosaïquement, et c'est un point important pour ce qui va suivre : on ne peut rien savoir de Jésus, rien, à moins de l'avoir appris d'une source quelconque ou bien – c'est l'autre option – à moins de l'avoir inventé. La plupart des gens n'ont pas accès aux sources anciennes et ce qu'ils savent, ou croient savoir, de Jésus, ils l'ont appris d'autres personnes à l'école, à l'église ou dans les médias disponibles : journaux, revues, radio, télévision. Mais d'où ces dernières personnes ou ces médias tiennent-ils leurs informations ? Ils les tiennent d'autres personnes encore, qui les tiennent d'autres, jusqu'à ce qu'on remonte finalement à un document historique ou à quelqu'un qui l'a inventé[13]. On retrouvera donc ici, partout sous-jacente à notre démarche, cette question sous forme d'opposition : histoire ou invention ?

LE JÉSUS DU ROMAN

Le *Jésus du roman* est celui que présentent avec une assurance absolue les deux personnages principaux (à ce point de vue) du récit, Teabing et Langdon[1], particulièrement dans les chapitres 55, 56, 58 et 60.

Quelles sont ces affirmations supposées nous transmettre la « vérité sur Jésus » (p. 433) ? On peut les ramener à deux catégories. Elles concernent d'abord le mariage de Jésus, mais surtout la non-divinité de Jésus.

Le mariage de Jésus

D'abord le mariage de Jésus, qui comprend en fait trois affirmations : Jésus était marié ; marié à Marie-Madeleine, qui était de descendance royale ; enfin, le couple aurait eu un enfant, une fille nommée

Sarah (p. 413). Sur quoi se fondent ces affirmations ? Prenons-les une à une.

Jésus était marié

> *Oui, Jésus était marié « parce qu'il était juif », dit Langdon. Le célibat aurait été condamné par la coutume juive. « Tout père juif se devait de trouver une femme qui convienne à son fils » (p. 398).*

C'était en effet la coutume générale, d'accord. C'est le modèle. Mais les êtres extraordinaires, du fait même qu'ils sont extra-ordinaires, ou marginaux, échappent justement au modèle. Et Jésus, à beaucoup de points de vue, était certainement marginal[2].

Il y avait d'ailleurs, dans le monde juif du temps de Jésus, des hommes qui restaient célibataires. Parmi eux, un groupe devenu particulièrement célèbre depuis Qumrân et la découverte des manuscrits de la mer Morte : les Esséniens. C'était un groupe de juifs fervents. Convaincus que la fin des temps était proche, ils s'étaient retirés au désert près de la mer Morte et la majorité d'entre eux gardaient le célibat. Jésus n'était pas essénien, mais partageait certaines de leurs idées et « appartenait au même univers religieux que le groupe de la mer Morte[3] ». Lui aussi vivait dans l'attente imminente de l'irruption du Royaume de Dieu. Nos évangiles, Marc en particulier, ont gardé des paroles de Jésus difficiles à interpréter qui soulignent cette imminence de la fin : « Et il leur disait : "En vérité [le *amèn* solennel] je vous le déclare, parmi ceux qui sont ici, certains ne mourront pas avant de voir le Règne de Dieu venu avec puissance" » (cette venue du Règne avec puissance est d'ordinaire interprétée de la résurrection même de Jésus) (Mc 9,1) ; ou encore dans le discours eschatologique de Mc 13 : « En vérité, je vous le déclare, cette génération ne passera pas que tout cela n'arrive » (Mc 13, 30). C'est à cette venue du Royaume que Jésus était totalement consacré.

Un des points les plus solidement établis dans la recherche contemporaine sur le *Jésus de l'histoire*, c'est aussi que Jésus a d'abord été disciple de Jean Baptiste, qui était lui-même célibataire. Luc nous dit que Jean « fut dans les déserts jusqu'au jour de sa manifestation à Israël » (Lc 1, 80 et 3, 2). Il n'avait pas succédé à son père Zacharie dans sa charge de prêtre et n'avait pas prolongé sa lignée sacerdotale[4]. En termes plus violents que Jésus, Jean annonçait aussi la venue du Royaume : « déjà la hache est prête à attaquer la racine des arbres... » (Mt 3, 10) ; « celui qui vient après moi [...] vous baptisera dans l'Esprit Saint et le feu. Il a sa pelle à vanner à la main, il va nettoyer son aire... » (Mt 3, 11-12). C'est à la suite de ces paroles, selon Matthieu, que Jésus entre dans l'eau du Jourdain pour se faire baptiser par Jean, une manière de dire que Jésus se reconnaît dans ces paroles de Jean, qu'il les prend pour ainsi dire à son compte. C'est dans cette perspective, au cœur même de cette attente, qu'il faut comprendre encore, je crois, la parole provocatrice de Jésus : « il y en a qui se sont eux-mêmes rendus eunuques [qui ne se marient pas] à cause du Royaume des cieux » (Mt 19, 12).

Paul lui-même, quand il donne aux Corinthiens ses conseils sur le mariage, leur dit : « Je voudrais bien que tous les hommes soient comme moi[5] ; mais chacun reçoit de Dieu un don particulier, l'un celui-ci, l'autre celui-là. Je dis donc aux célibataires et aux veuves qu'il est bon de rester ainsi, comme moi » (1 Co 7, 7). Et pourquoi ? Parce que « le temps s'est écourté », littéralement dans une belle expression empruntée au langage technique de la navigation : « le temps a cargué [ferlé] ses voiles » (1 Co 7, 29). Et il continue : « Désormais que ceux qui ont une femme soient comme s'ils n'en avaient pas, ceux qui pleurent comme s'ils ne pleuraient pas, ceux qui se réjouissent comme s'ils ne se réjouissaient pas… Car la figure de ce monde passe [est en train de passer] » : « la figure qui passe comme un acteur qui quitte la scène, c'est notre monde[6] » (1 Co 7, 29-31).

On ne trouve d'ailleurs, dans tout le Nouveau Testament, aucune référence à un mariage de Jésus ou à son épouse. Ni dans les évangiles, ni dans Paul, ni dans les autres écrits du Nouveau Testament. On y parle bien de la mère de Jésus, de son père Joseph, de ses frères et sœurs (Mc 6, 3). Pourquoi pas de son épouse ? Les disciples sont mentionnés. Plusieurs femmes, disciples ou compagnes des disciples, sont mentionnées, mais jamais comme épouses de Jésus, comme « Marie de Jésus ». Dans cette culture où il n'y a pas de noms patronymiques, de noms de famille, les femmes sont identifiées d'ordinaire par le nom de leur mari ou celui de leurs enfants (spécialement de leurs fils ?), en particulier si elles s'appellent Marie, pourrait-on dire ! Comme le note avec humour Régis Burnet : « Dans les évangiles, les femmes ont deux gros défauts. Non seulement elles ne sont pas toujours aussi bien individualisées que les hommes, mais elles ont aussi une propension fâcheuse à s'appeler "Marie"[7]. » Si cette Marie de Magdala avait été l'épouse de Jésus, il aurait été beaucoup plus normal, semble-t-il, de l'appeler Marie de Jésus.

Autre argument qu'on invoque : Jésus était rabbin, il prêchait dans les synagogues. Or il est obligatoire pour les rabbins d'être mariés.

Ceci est exact pour les rabbins actuellement. Mais l'institution rabbinique d'aujourd'hui n'a commencé qu'après la fin du premier siècle. Jésus était un *rabbi*, un maître, mais pas un rabbin, au sens institutionnel du mot, un docteur de la Loi diplômé, si j'ose dire... Paul aussi d'ailleurs prêchait dans les synagogues et, nous l'avons vu, il n'était pas marié. En 1 Co 9, 5, il s'écrie : « N'aurions-nous pas le droit d'emmener avec nous une femme chrétienne [littéralement : une femme sœur, sœur dans la foi] comme les autres apôtres, les frères du Seigneur et Céphas ? » Quelle belle occasion, si Jésus avait été marié, de mentionner ici son épouse, ce qui aurait renforcé étrangement l'argumentation de Paul.

Rien donc, dans les sources à notre disposition, qui permette d'affirmer que Jésus était marié[8]. Pourtant le *Da Vinci Code* évoque certains documents[9] qui indiqueraient non seulement que Jésus était marié, mais que son épouse était Marie-Madeleine.

Marié à Marie-Madeleine, qui était de descendance royale

Quelles sont donc les sources invoquées pour affirmer que Jésus était marié à Marie-Madeleine ? Teabing prend un volume intitulé *The Gnostic Gospels* (il s'agirait d'un livre d'Elaine Pagels[10]) :

> *On y voyait sur la page de gauche des agrandissements de manuscrits anciens [« tattered papyrus » : papyrus tout abîmés], de très vieux papyrus, dans un alphabet que Sophie ne pouvait identifier, avec leur traduction anglaise sur la page de droite. Ce sont des reproductions des papyrus coptes de Nag Hammadi et des manuscrits araméens de la mer Morte.* ***Les premiers textes chrétiens***

[je souligne]. Ils présentent des divergences troublantes avec les Évangiles de la Bible canonique que nous connaissons (p. 398).

Dans l'édition du livre de Pagels, il y a bien, sur la page de couverture, la reproduction d'un papyrus ancien, mais dans le livre aucun agrandissement ni aucune mise en parallèle d'un texte copte et de sa traduction anglaise. Il n'y est surtout aucunement question des manuscrits araméens de la mer Morte. Et ces derniers ne figurent absolument pas parmi « les premiers textes chrétiens ». Il n'y a aucun texte chrétien à Qumrân, mais bien des copies de tous les livres de la Bible hébraïque (sauf Esther), des textes juifs qu'on appelle souvent *intertestamentaires* (livres d'Énoch, livre des Jubilés) et des textes propres à la Communauté (règle de la communauté, rouleau de la guerre, des hymnes). Comme erreur, celle-ci est énorme, et tant pis pour la description « exacte » ou « avérée » des documents (p. 7) !

Brown-Teabing fait alors appel à deux de ces supposés « premiers textes chrétiens » : l'*Évangile selon Philippe* et l'*Évangile selon Marie*. Ces textes sont datés unanimement par tous les spécialistes, au plus tôt, du milieu du 2e siècle (vers 150). Ce ne sont donc pas les premiers textes chrétiens : les premières lettres de Paul datent en effet de 51, ses dernières, de 63 environ ; les évangiles synoptiques (Matthieu, Marc et Luc) ont été écrits entre 70 et 85 et l'évangile de Jean, le plus tardif, vers la fin du premier siècle (90-100).

L'Évangile selon Philippe, qui cite d'ailleurs abondamment les textes du Nouveau Testament[11], leur est donc postérieur. Le codex copte, découvert à Nag Hammadi vers 1945, serait du 4e siècle (Ménard, p. 1), et serait cependant la traduction d'un original grec « qui remonterait tout au plus au 3e siècle » (Ménard, p. 35).

Ce texte, il est important de le savoir, appartient au courant de pensée ésotérique qu'on appelle la *gnose* (connaissance), la première hérésie que l'Église eut à combattre, ici la gnose valentinienne : le système de Valentin, lequel vécut à Rome de 135 à 160 environ et eut une grande influence. Pour la gnose, l'homme est un être divin tombé sur terre à la suite d'un événement tragique et dont le salut consiste à retourner à son état premier par la Révélation (la connaissance). On y retrouve le mythe de l'Adam androgyne : Ève à l'origine était en lui, elle s'est séparée de lui et toute la recherche de la perfection (il s'agit de devenir parfait) consiste à retrouver l'unité originelle, à redevenir *Homme* comme au début. Le logion 114, le dernier, de l'*Évangile selon Thomas* en est, je crois, un très bel exemple : « Simon-Pierre lui disait : Que Marie sorte de parmi nous parce que les femmes ne sont pas dignes de la Vie. Jésus répondit : Voici que je la guiderai afin de la faire Homme. Elle deviendra, elle aussi, un souffle vivant semblable à vous, Hommes. Toute femme qui se fera Homme entrera dans le Royaume de Dieu. » En soi, on le voit, ce texte n'est pas une valorisation de la féminité, même si les écrits gnostiques sont exploités en ce sens par les féministes radicales, en particulier aux États-Unis.

Deux textes de l'*Évangile selon Philippe* sont invoqués par plusieurs pour soutenir que Marie-Madeleine était l'épouse de Jésus :

> la sentence 32 (que Brown ne cite pas...) : *[Il y en avait] trois [qui] marchaient toujours avec le Seigneur : Marie, sa Mère, et sa sœur [de cette dernière] et Madeleine qui est appelée sa compagne (koinônos). Car (gar) Marie est sa sœur, sa mère et sa compagne*[12],

et spécialement

> la sentence 55 : *La Sophia qui est appelée stérile* (steira), *est la Mère [des An] ges* (aggelos). *Et la compagne* (koinônos) *du [Fils est Marie-] Mad [eleine]. Le [Seigneur aimait Marie] plus que [tous] les disci [ples* (mathètès) *et il] l'embrassait* (aspazein) *[souvent sur la bouche]. Les autres [disciples* (mathètès)] *le [virent aimant Marie], ils lui dirent : « Pourquoi l'aimes-tu plus que* (para) *nous tous ? » Le Sauveur répondit, il leur dit : « Comment se fait-il que je ne vous aime pas autant qu'elle*[13] *? »*

Marie est appelée *koinônos* de Jésus et Teabing affirme alors : « Comme vous le confirmeront tous les spécialistes, en araméen ["As any Aramaic scholar will tell you...", p. 246], le mot *compagne* signifiait *épouse* » (p. 399). Ce que confirme Langdon.

Le problème, c'est que l'*Évangile selon Philippe* n'est pas écrit en araméen, mais en copte... Autre erreur, assez grossière pour qui se targue d'exactitude ! Mais en fait le mot gardé par le traducteur copte est un mot grec, *koinônos*, qui peut vouloir dire compagne quand il est au féminin, mais qui désigne d'ordinaire un compagnon, un ami, un associé

(2 Co 8, 23 : Timothée, mon compagnon... ; Phm 17 : si tu me tiens pour compagnon...). Le dictionnaire grec-français profane (Pessonneaux) donne : « *Subst.* (o, è). Associé, compagnon, complice de (*gén*) ». Il ne parle pas d'épouse. Pour cela, le grec avait d'ailleurs le mot *gunè*.

Nous ne sommes pas ici, en plus, dans le domaine de l'histoire, mais dans celui de la gnose, une espèce de théologie spéculative, une mystique d'identification, où l'âme doit reconnaître son origine divine et pénétrer dans la sphère de la vérité (cf. Ménard, p. 10-11). Une exégète américaine, Dierdre Good, note avec raison que « nous ne devrions pas tenir pour acquis, lorsque l'*Évangile de Philippe* mentionne des hommes et des femmes, qu'il décrit des hommes et des femmes en chair et en os[14] ». La sentence 55 « est basée sur un des grands thèmes de l'*Évangile selon Philippe* : l'union du fiancé et de la fiancée, c'est-à-dire le mariage spirituel. La Sophia psychique est stérile [...] lorsqu'elle n'est pas unie au Soter, l'élément mâle. [...] Marie-Madeleine est la Sophia unie au Soter, elle est devenue mâle [cf. *Évangile selon Thomas* 114], c'est-à-dire qu'elle est retournée à l'Unité. Voilà pourquoi le Seigneur l'a aimée plus que les autres» (Ménard, p. 171). Le rite du baiser est à interpréter dans ce contexte.

Le Nouveau Testament parle, lui aussi, d'embrasser (*aspazein*) et connaît ce rite du baiser (*philèma*). À la fin de plusieurs de ses lettres, Paul dit: «Saluez-vous [*aspazein*, qui veut dire *embrasser, saluer*; la traduction de l'*Évangile selon Philippe* choisit *embrasser*] d'un saint baiser (*en philèmati agiôi*)» (Rm 16, 16; 1 Co 16, 20; 2 Co 13, 12; 1 Th 5, 26). Les interprètes parlent à ce propos du baiser de paix, baiser liturgique, signe de fraternité chrétienne[15]. Il n'y a là aucune dimension érotique ni invitation à une orgie collective! En Lc 7, 45, lorsque la pécheresse couvre de baisers les pieds de Jésus, celui-ci dit à Simon: «Je suis entré dans ta maison. [...] Tu ne m'as pas donné de baiser». Autrement dit, Jésus n'a pas été reçu selon les normes de la politesse en cours, et le baiser d'accueil faisait partie de ces normes... Par contre, quand Judas livre Jésus en Lc 22, 47-48, ce dernier lui reproche de transformer le signe de respect d'un disciple envers son maître en geste de trahison: «Judas, c'est par un baiser que tu livres le Fils de l'homme!» Selon Mt 26, 48, Judas avait convenu d'avance de ce signe avec la troupe armée.

L'autre évangile appelé à la rescousse est l'*Évangile selon Marie*. Cet évangile se retrouve dans un papyrus conservé à Berlin, le BG (Berolinensis Gnosticus) 8502, qui daterait du 5e siècle de notre ère[16]. Acheté au Caire, ce document se trouverait au Département d'Égyptologie des Musées nationaux de Berlin depuis 1896. On n'a pas trouvé de version parallèle à Nag Hammadi (Pasquier, p. 2). La première rédaction de ce texte aurait été faite « au cours du 2e siècle » (p. 4)[17]. En général, les spécialistes estiment qu'il s'agit aussi d'un écrit gnostique qui s'inscrit dans une tradition des apparitions du Ressuscité (cf. Pasquier, p. 5-7 et De Boer, p. 30). Mais cette position est contestée par certaines auteures, surtout féministes, dont Karen King en particulier (cf. De Boer, p. 30-32) et De Boer elle-même qui écrit : « I suggest that the Gospel of Mary should not be read as a specifically Gnostic text » (p. 58). Cet évangile proclame la supériorité d'une disciple, Marie-Madeleine, car elle était plus aimée de Jésus et celui-ci lui avait accordé des révélations secrètes.

Dans ce texte, Pierre dit à Marie :

Sœur, nous savons que le Sauveur te préférait aux autres femmes, rapporte-nous les paroles du Sauveur que tu as en mémoire, celles que tu connais mais nous pas et que nous n'avons pas entendues» (p. 10, lignes 1-6. Il manque à ce manuscrit les pages 1 à 6 et 11 à 14; cf. Pasquier, p. 1).

Marie fait alors une longue révélation (p. 10, l. 7 à p. 17, l. 9). Mais un des apôtres, André, dit qu'il ne croit rien de tout cela, et Pierre abonde dans son sens:

Est-il possible qu'Il se soit entretenu avec une femme en secret – à notre insu – et non ouvertement si bien que nous devrions nous, former un cercle et tous l'écouter? Il l'aurait choisie, de préférence à nous? (p. 17, l. 16-22; texte cité par Brown, p. 401).

Marie se met alors à pleurer et Lévi prend sa défense:

Pierre, depuis toujours tu es un tempérament bouillant, je te vois maintenant argumenter contre la femme comme un adversaire. Pourtant, si le Sauveur l'a rendue digne, qui es-tu toi pour la rejeter? Sans aucun doute, c'est de manière indéfectible que le Sauveur la connaît. C'est pourquoi il l'a aimée plus que nous. [La citation de Brown, p. 401, s'arrête ici, mais il est important de poursuivre.] Ayons plutôt honte et revêtons-nous de l'Homme parfait, engendrons-le en nous comme Il nous l'a ordonné et proclamons l'Évangile en n'imposant d'autre règle ni d'autre Loi que celle qu'a prescrite le Sauveur (p. 18, l. 6-20).

Selon Anne Pasquier, « la préférence témoignée à Marie par le Sauveur est perçue comme une manifestation de l'androgynie divine et symbolise le retour à l'unité originelle » (p. 24). Anne Pasquier rappelle alors le logion 114 de l'*Évangile selon Thomas* et ajoute : « Dans l'EvMar [Évangile de Marie], Marie-Madeleine semble même la seule, pour le moment, à être devenue Homme. C'est pourquoi Lévi exhorte les autres disciples à se revêtir comme elle de l'Homme parfait (18, 15-21) » (p. 25)[18].

On se retrouve toujours, à mon avis, dans la même mystique, la même spéculation philosophico-religieuse qui n'a rien à faire avec l'histoire. Ces écrits n'apportent sur la vie de Jésus aucune information supplémentaire qui aurait été inconnue et de Paul et des premiers évangiles que sont Marc, Matthieu, Luc et Jean.

Quant à la descendance royale de Marie-Madeleine, autre affirmation de Brown-Teabing, à partir, dit-il, « d'un document – un rouleau, avec, tout en haut, un grand titre : LA TRIBU DE BENJAMIN – qui ressemblait à une généalogie » (p. 403), c'est une invention pure et simple. On ne connaît, en réalité, aucun document ou rouleau de la sorte et aucune autre source ne rattache Marie-Madeleine à cette tribu. Ce qui serait une invention légitime dans un roman ne l'est plus ici dans *ce* roman, quand on se souvient de la clé mise en tête du grand récit (« toutes les descriptions... de documents... sont avérées »). La tribu de Benjamin avait-elle gardé d'ailleurs, historiquement, comme un halo de royauté ? Cette tribu, il est vrai, était celle de Saül, le premier roi d'Israël (1 Samuel 9, 1). Mais le récit biblique nous dit que la royauté lui avait été retirée pour passer, avec David, à la tribu de Juda (1 Samuel 15, 23). On notera que Paul, dont le nom juif, rappelons-le, était Saul ou Saül[19], était de la tribu de Benjamin et semble s'en vanter (Ph 3, 5). C'est donc que cette tribu, au temps de Jésus, avait gardé une certaine réputation. Mais Paul, que je sache, n'a jamais revendiqué une ascendance royale...

Un enfant, une fille, dont le nom même serait Sarah

> *Car Marie-Madeleine était enceinte, dit Brown, lorsque Jésus a été crucifié. Pour protéger son enfant, elle a été contrainte de fuir la Terre sainte. Avec l'aide de Joseph d'Arimathie [qui est, dans le texte anglais, l'oncle de Jésus à qui on peut faire confiance : « Jesus' trusted uncle », p. 255], elle est partie clandestinement pour la France – la Gaule à l'époque... (p. 413).*

On est ici en pleine fiction romanesque. C'est intéressant, passionnant peut-être, mais ça n'a rien à voir avec la réalité historique. Aucun texte ne parle d'une Marie-Madeleine enceinte... Aucun texte ne dit que Joseph d'Arimathie, un homme riche, capable de parler directement à Pilate (selon Mt 27, 57 et Jn 19, 38) ; un membre éminent du conseil, sans doute du sanhédrin, le grand tribunal juif (selon Mc 15, 43 et Lc 23, 50) était l'oncle de Jésus. Quant au roman de la famille de Lazare fuyant la persécution pour aboutir sur les côtes de Provence (cf. « les inventions fabuleuse de la traversée sur un bateau dématé », dans l'encyclopédie *Catholicisme*, art. Marthe, t. 8, col. 734), il date des hagiographes du Moyen Âge. On connaît une *Vita eremetica b. M.M.*

(beatae Mariae Magdalenae) datée du 9e siècle, qui imagine la vie « postévangélique » de Marie-Madeleine. Il existe en effet tout un groupe de légendes appelé le « cycle de Béthanie », légendes liées à différents sanctuaires de Provence, entre autres la Sainte-Baume et le pèlerinage des Saintes-Maries-de-la-mer, où on retrouve Lazare, Marthe, Marie-Madeleine, mais aussi Marie de Cléophas, mère de Jacques et Jude (la Marie-Jacobé, sœur de la Sainte Vierge), Marie-Salomé et leur servante noire Sara, qui est devenue une pièce essentielle dans le pèlerinage d'aujourd'hui. Cette dernière, en effet, est devenue, depuis la fin du 19e siècle la patronne des tsiganes (des Gitans) qui viennent aux Saintes-Maries-de-la-mer lors de deux grands pèlerinages annuels, en mai et en octobre[20].

> *Les vies de Marie-Madeleine et de sa fille ont fait l'objet de chroniques détaillées de la part de leurs protecteurs juifs [continue Brown, p. 413]. De nombreux lettrés [countless scholars, p. 255] de cette époque ont raconté la chronique de son séjour en Gaule, la naissance de Sarah, et l'arbre généalogique qui a suivi...*

Les chroniques qui existent ne viennent pas de lettrés de l'époque de Marie-Madeleine ou de Jésus, mais d'hagiographes du Moyen Âge. Ces légendes tardives, autour de personnages évangéliques, ne parlent ni du mariage de Jésus, ni de sa descendance, ni d'une fille de Marie-Madeleine.

Où seraient d'ailleurs ces nombreux documents? Selon Brown-Teabing, non seulement « la généalogie complète des premiers descendants de Jésus » (p. 414), mais « des dizaines de milliers de pages de textes non retouchés datant d'avant Constantin, écrits par les premiers fidèles de Jésus qui vénèrent en lui un maître et un prophète totalement humain » (p. 415) feraient partie du trésor du Graal.

Non content de cette richesse considérable, Teabing y introduit ce qu'il appelle « la légendaire *Source Q* – un manuscrit dont le Vatican lui-même reconnaît l'existence. Il s'agirait d'un document rassemblant les enseignements de Jésus, qui pourraient être écrits de sa propre main » (p. 415). Sophie s'étonne... Teabing répond: « Pourquoi Jésus n'aurait-il pas rédigé la chronique de son ministère? C'était une pratique courante à son époque. Un autre texte explosif serait

Les Carnets de Marie-Madeleine [*The Magdalene Diaries*, p. 256], où elle évoquerait sa relation avec le Christ, la crucifixion et son propre séjour en France». En p. 374, Teabing avait aussi dit que la vie de Jésus avait «été narrée par des milliers de disciples sur la terre d'Israël. Plus de quatre-vingts évangiles auraient pu figurer dans le Nouveau Testament, mais seulement quatre d'entre eux ont été retenus...» Une décision de Constantin, affirme-t-il, sur laquelle je reviendrai.

Mais relevons tout de suite les énormités:

- Il n'est pas vrai que des milliers de disciples de Jésus auraient écrit un récit de sa vie au cours de son ministère. Presque tous les disciples de Jésus, qui n'étaient pas des milliers en Galilée, étaient illettrés.
- Pratiquement personne ne tenait un journal de sa propre vie. La plupart des gens ne savaient pas écrire.
- Jésus lui-même, d'après nos sources, n'a jamais rien écrit, sauf sur le sable, mystérieusement, une fois, en Jn 8, 6: «de son doigt, il écrivait sur la terre».

- Le document Q n'est pas une source écrite par Jésus. C'est un document hypothétique, que les exégètes tentent de reconstruire à partir des passages parallèles qu'on trouve mot à mot dans Matthieu et Luc, mais qui ne se trouvent pas en Marc. Comme tel, ce document n'existe même pas, et le Vatican ne peut donc en reconnaître l'existence[21].
- Quant au texte explosif des *Carnets de Marie-Madeleine* (*The Magdalene Diaries*), c'est, à coup sûr, une création au sens propre du mot : tirée du néant...

Toutes ces prétendues informations introduisent une aura de vérité dans le roman. Mais la plupart sont de pures inventions, mêlées à quelques éléments de vérité. Un mélange qu'on pourrait qualifier de « pervers » et qui ne peut que mystifier le lecteur non spécialiste.

La non-divinité de Jésus

Jésus était donc marié à Marie-Madeleine qui lui a donné une fille. Voilà, selon Brown, le secret du Graal que l'Église a essayé au cours des siècles d'étouffer à tout prix. Les croisades, par exemple, « avaient pour but de retrouver les documents et de les détruire » (p. 411). Brown et ses personnages évoquent donc ici la thèse du complot. On n'a que deux textes, qui ne parlent pas, notons-le, du mariage de Jésus, mais indique tout au plus que Jésus avait une relation spéciale avec une disciple, connue par ailleurs dans les évangiles canoniques, Marie-Madeleine. Ce n'est pas beaucoup, sans compter que ces textes sont datés, au plus tôt, du milieu du 2e siècle. Mais la raison en est claire : c'est que l'Église aurait fait disparaître tous les documents qui parlaient de ce mariage !

Marie-Madeleine était en effet pour l'Église, dit Brown-Teabing, une terrible menace : « elle apporte la preuve physique que le Fils de Dieu **inventé par l'Église** avait engendré une descendance humaine » (p. 411). En dissimulant les preuves de son mariage avec Jésus, « on désarmorçait [...] toute revendication de descendance christique, **ce qui permettait d'attester sa divinité** » (p. 411 ; les soulignés sont de moi)[22], la prétention qui assurait l'existence même de l'Église[23].

Inventé par l'Église, quand? Sous Constantin le Grand. Pour unifier son empire, où chrétiens – devenus très nombreux – et païens s'affrontaient, Constantin décida « d'unifier Rome sous la bannière d'une seule et unique religion, le christianisme » (p. 375). Il convoque le concile de Nicée en 325 et y fait voter la divinité de Jésus. « Un Jésus divin transcendait la réalité du monde humain, et sa puissance n'était plus discutable » (p. 377). Donc, « "coup de pouce" divin au statut de Jésus [...] intervenu trois siècles après sa mort » (p. 379).

Mais le problème que devait affronter Constantin, selon Brown, était ces centaines de textes qui racontaient la vie toute humaine de Jésus (p. 379), qui racontaient que Jésus n'était qu'un prophète mortel, un homme exceptionnel en tous points, mais mortel (p. 377)[24]. C'est alors, toujours selon Brown, que Constantin réussit son coup de force : il commande et finance la rédaction d'un Nouveau Testament qui excluait tous les évangiles évoquant les aspects humains de Jésus et qui privilégiait ceux qui le faisaient paraître divin. « Les premiers évangiles furent déclarés contraires à la foi, rassemblés et brûlés », dit

Teabing (p. 379). Mais, heureusement pour les historiens, certains de ces évangiles apocryphes ont survécu. Et Brown-Teabing citent alors *Les Manuscrits de la mer Morte* et les textes de Nag Hammadi : « Tous ces textes racontent la véritable histoire du Graal, tout en relatant le ministère de Jésus sous un angle très humain » (p. 380).

J'ai déjà mentionné qu'aucun des documents trouvés à Qumrân ne parlent de Jésus ni, à plus forte raison, du Graal. Ce sont des textes juifs antérieurs au christianisme. « Ces textes sectaires ont été composés avant les actions de Jean le Baptiste et de Jésus ; c'est pourquoi ils ne font aucune allusion à ces personnages du Nouveau Testament – en dépit de fallacieuses prétentions contraires[25]. » Quant aux textes de Nag Hammadi[26], bien loin de présenter Jésus et son ministère sous un angle très humain, ils en font plutôt un personnage ésotérique, mystérieux, qui semble flotter au-dessus de notre monde... Que répondre aux insinuations de Teabing-Brown ?

Constantin et le concile de Nicée en 325

C'est vrai qu'il existait une crise religieuse au temps de Constantin, non plus vraiment cependant entre païens et chrétiens (cette première crise avait été résolue déjà en 313, par l'*édit de Milan* qui mettait fin aux persécutions des chrétiens ; la vision célèbre que Constantin aurait eue de la croix avec l'inscription : « Par ce signe, tu vaincras » et sa victoire sur Maxence au pont Milvius datent de 312) mais cette fois entre chrétiens eux-mêmes, en particulier, entre l'évêque d'Alexandrie et Arius[27], et portait précisément sur la divinité de Jésus.

Constantin venait tout juste de faire l'unité politique de l'Empire en renversant et en tuant en 324 l'empereur d'Orient, Licinius, et en établissant le centre de l'Empire à Byzance devenue, en 324 également, Constantinople. Il ne voulait pas que des conflits religieux viennent fragiliser cette unité. Il avait fait lui-même une tentative de réconciliation à Alexandrie, mais il n'avait rien compris au problème et il prit finalement l'initiative de convoquer un concile pour régler toute l'affaire. Il ouvrit lui-même le Concile par un discours appelant à l'unité, le 20 mai 325[28]. Un mois après, il reparut pour la clôture, le 19 juin. Il endossa alors les décrets du Concile, les confirmant de son autorité, et exila Arius. Mais il n'avait rien eu à voir avec les discussions mêmes du Concile et les événements qui suivirent montrent bien qu'il n'y avait rien compris[29]. Ce n'est pas lui qui a fait voter la divinité de Jésus (comme l'insinue Brown, en p. 376-377).

Le rôle de Constantin dans la formation du canon des écritures

Quel est maintenant le rôle de Constantin dans la formation du canon des écritures ? La réponse est simple : aucun. Selon Brown, Constantin serait responsable de la rédaction des quatre évangiles canoniques, censés privilégier les aspects divins de la vie de Jésus, et aurait fait disparaître les premiers évangiles (les évangiles apocryphes : on en aurait compté plus de 80 !) qui soulignaient l'aspect humain de Jésus.

C'est un peu gros. Constantin n'a rien à voir avec la formation du canon des écritures. La genèse du canon s'est opérée au cours d'un long processus, amorcé des siècles avant Constantin (cf. déjà 2 P 3, 16 – dont la date est incertaine, mais qu'on situe à la fin du 1er ou au début du 2e siècle – où les lettres de Paul sont assimilées aux « autres Écritures »).

On trouve une première allusion aux évangiles dans un texte de Justin (mort vers 165) qui dit que, dans les réunions chrétiennes on lit les « mémoires des apôtres ».

> *Au jour qu'on appelle le jour du soleil se tient une réunion de tous ceux qui habitent dans un même lieu, dans les villes et à la campagne ; on y lit les Mémoires des apôtres* (ta apomnèmoneumata tôn apostolôn) *et les écrits des prophètes, autant que le temps le permet*[30].

Mais, explicitement, c'est Irénée de Lyon (mort vers 202) qui parle, on ne peut plus clairement, de l'Évangile « tétramorphe » :

> *Par ailleurs, il ne peut y avoir ni un plus grand ni un plus petit nombre d'Évangiles. En effet, puisqu'il existe quatre régions du monde dans lequel nous sommes et quatre vents principaux, et puisque, d'autre part, l'Église est répandue sur toute la terre et qu'elle a pour colonne et pour soutien l'Évangile et l'Esprit de vie, il est naturel qu'elle ait quatre colonnes qui soufflent de toutes parts l'incorruptibilité et rendent la vie aux hommes. D'où il appert que le Verbe, Artisan de l'univers, qui siège sur les*

Chérubins et maintient toutes choses, lorsqu'il s'est manifesté aux hommes, nous a donné un ***Évangile à quadruple forme****, encore que maintenu par un unique Esprit* (Contre les hérésies III, *11, 8).*

Juste auparavant, il avait écrit :

Ainsi ***Matthieu*** *publia-t-il chez les Hébreux, dans leur propre langue, une forme écrite d'Évangile, à l'époque où Pierre et Paul évangélisaient Rome et y fondaient l'Église. Après la mort de ces derniers,* ***Marc****, le disciple et l'interprète de Pierre, nous transmit lui aussi par écrit ce que prêchait Pierre. De son côté,* ***Luc****, le compagnon de Paul, consigna en un livre l'Évangile que prêchait celui-ci. Puis* ***Jean****, le disciple du Seigneur, celui-là même qui avait reposé sur sa poitrine, publia lui aussi l'Évangile tandis qu'il séjournait à Éphèse, en Asie* (Contre les hérésies III, *1, 1).*

Nous sommes, avec Irénée, avant l'an 200, plus de 125 ans avant le concile de Nicée. Longtemps avant Constantin donc, les quatre évangiles canoniques étaient bien établis et bien connus[31].

Il y aurait peut-être une indication dans les sources anciennes qui justifierait, même si cette information serait alors mal comprise, que Brown-Teabing puissent dire que « Constantin a commandé et financé la rédaction d'un Nouveau Testament» (p. 379). Dans sa *Vie de Constantin*, Eusèbe de Césarée (mort vers 340) dit que Constantin lui aurait demandé personnellement de faire copier 50 manuscrits de la Bible chrétienne pour des églises qu'il avait bâties dans sa ville impériale, Constantinople[32]. Mais il s'agirait alors de copies de manuscrits, absolument pas de composition d'évangiles.

Quant aux autres évangiles que Constantin aurait rassemblés et fait brûler, c'est encore de la fiction romanesque. Il existait bien un certain nombre d'évangiles qui avaient circulé, à partir du milieu du 2e siècle, liés en particulier à divers courants gnostiques. Irénée les a lus et les réfute[33]. Mais on ne connaît pas 80 évangiles qui auraient été considérés pour faire partie du Nouveau Testament[34]. Ces «autres» évangiles n'ont pas fait l'objet d'une suppression systématique. Ils n'ont pas non plus été supprimés par Constantin. Ils avaient depuis longtemps été écartés comme «hérétiques» par les chefs des communautés chrétiennes, comme Irénée de Lyon. Les documents gnostiques, notamment, n'ont jamais été effacés du canon: ils n'ont jamais appartenu au canon des Écritures. Il n'y a pas eu de conspiration pour les faire disparaître et ils ont été largement copiés et lus par des chrétiens pendant une centaine d'années. Mais par après, n'étant plus utilisés par la grande Église, on peut penser qu'ils ont été moins recopiés et ont fini plus ou moins par disparaître. Les Églises n'y reconnaissaient pas leur foi, tout simplement.

LE JÉSUS DE L'HISTOIRE

LES QUESTIONS SOULEVÉES PAR BROWN touchaient en fait le *Jésus de l'histoire* et les réponses apportées à ses questions relevaient du travail de l'historien : vérification notamment des documents fondant ses affirmations. D'autant plus que Brown prétendait, dans son préambule, que toutes les descriptions des documents invoqués dans son livre étaient exactes. Il faut néanmoins rappeler rapidement en quoi consiste « faire de l'histoire » et ce que tentent de faire les nombreux exégètes et historiens qui s'occupent aujourd'hui du *Jésus de l'histoire*.

Le *Jésus de l'histoire* : une construction hypothétique

Il faut bien se souvenir que « l'histoire racontée » n'est pas une restitution du passé « tel qu'il était vraiment »,

« mais une interprétation, une construction à partir d'une sélection des faits et d'une option sur leur enchaînement[1] ». La complexité de l'entreprise apparaît d'ailleurs aussitôt dans le vocabulaire qu'on se voit forcé d'employer à propos de Jésus : on parle du *Jésus historique* ou *Jésus de l'histoire*, du *Jésus réel*, du *vrai Jésus*, du *Jésus des évangiles* ou du *Jésus de la foi*. Le *Jésus de l'histoire*, c'est celui que l'historien, utilisant ses méthodes et travaillant à partir des documents disponibles, s'efforce de reconstruire. Mais le Jésus qui a « réellement » existé, en ce sens le *Jésus réel*, déborde considérablement cette reconstruction toujours hypothétique. Jésus a été *plus*, a dit *plus*, a fait *plus* que ce que tous nos documents peuvent en rapporter. Comme le dit fort bien le dernier verset de l'évangile de Jean : « Jésus a fait encore bien d'autres choses : si on les écrivait une à une, le monde entier ne pourrait, je pense, contenir les livres qu'on écrirait » (Jn 21, 25) ! De même que tout le « réel » de chacune de nos vies, tout ce qui s'est passé dans nos vies, tout ce que nous avons dit et fait, sans compter le « mystère » profond qu'est chaque personne humaine, n'a pas été documenté et échappe (heureusement, très souvent) à ceux qui voudraient écrire notre vie, de même tout le « réel » de la vie de Jésus, sans compter le « mystère » particulier qui est le sien, échappe aux prises de l'observateur, à plus forte raison quand celui-ci se situe à 2000 ans de distance ! L'historien se doit donc d'être modeste. Tout ce qu'il peut offrir est une construction hypothétique, pas certaine donc, mais tout au plus probable dans l'état actuel de la documentation et jusqu'à ce qu'on découvre de nouveaux documents l'obligeant à modifier ses conclusions. Le *Jésus de l'histoire*, c'est donc une reconstruction modeste, qui ne s'oppose pas au *Jésus de la foi*, mais qui fait abstraction, ou tente de le faire, de ce que les documents disent du personnage du point de vue de la foi. Rien de l'assurance absolue des personnages du roman de Dan Brown.

Une liste minimale de ce que les historiens affirment de Jésus

Voici une liste, à titre d'exemple, non pas, assurément, de tout ce que l'historien peut savoir sur Jésus, mais du moins de ce qui est admis, sans discussion, par la très grande majorité des historiens, croyants ou incroyants :

- Jésus est un Juif, né vers -4, avant ce qu'on appelle maintenant l'ère commune, mais qui est bien *avant Jésus-Christ*, à peu près au temps de la mort d'Hérode le Grand ;
- il a passé son enfance et les premières années de sa vie adulte à Nazareth, un village de Galilée ;
- il a été baptisé par Jean le Baptiste ;
- il a appelé des disciples ;
- il a enseigné dans les petites villes, les villages et la campagne de Galilée, mais non pas, semble-t-il, dans les grandes villes, comme Tibériade ou Sepphoris ;
- il a prêché « le royaume de Dieu » ;
- vers l'an 30, il est monté à Jérusalem pour la Pâque ;
- il a provoqué un incident dans l'enceinte du Temple ;
- il a partagé un dernier repas avec ses disciples ;
- il a été arrêté et interrogé par les autorités juives, spécialement le grand prêtre ;

- il a été exécuté sous les ordres du préfet romain, Ponce Pilate.

On pourrait ajouter une courte liste de points, retenus par les historiens, sur ce qui a suivi la mort de Jésus :

- ses disciples se sont d'abord enfuis ;
- ils disent l'avoir vu, il n'est pas clair en quel sens, après sa mort ;
- en conséquence, ils ont cru qu'il reviendrait pour établir le royaume ;
- ils ont formé une communauté pour attendre son retour et ont cherché à en gagner d'autres à la foi qu'ils avaient en lui comme Messie de Dieu[2].

À la source de tout ceci, il y a, avant tout, les évangiles canoniques qui restent en grande partie, pour le meilleur ou pour le pire, nos seules sources incontestables[3]. Mais ces évangiles ne sont pas techniquement des livres d'histoire, ce sont avant tout des témoignages de foi. En racontant les gestes et les paroles de Jésus, ils n'entendent pas « faire de l'histoire», c'est-à-dire raconter l'événement d'un passé révolu. Ils parlent au présent : ils disent ce que Jésus leur dit aujourd'hui à la lumière de Pâques, bien que dans le souvenir, la réminiscence, de ce qu'il a dit et fait hier, avant la Pâques. Oui, ils racontent ce que Jésus a dit et fait, mais non pas simplement comme ils l'avaient vu et entendu au temps où ils marchaient avec lui sur les routes de Galilée, mais à la lumière de la connaissance nouvelle qui leur vient de l'expérience inouïe de la résurrection. Ils ne rapportent pas seulement des paroles et des faits, ils rapportent des paroles et des faits avec *un surplus de sens*, interprétés à la lumière de Pâques, comme saint Jean le dit si clairement, en plusieurs passages de son évangile. Jésus, par exemple, avait dit : « Détruisez ce temple et je le rebâtirai en trois jours. » Les Juifs l'entendent du Temple d'Hérode. Mais l'évangéliste précise : « Lui parlait du temple de son corps. Aussi lorsque Jésus se leva d'entre les morts, ses disciples se souvinrent qu'il avait parlé ainsi, et ils crurent à l'Écriture ainsi qu'à la parole qu'il avait dite » (Jn 2, 19-22). Voir encore Jn 12, 16 : « Au premier moment, ses disciples ne comprirent pas ce qui arrivait, mais lorsque Jésus eut été glorifié, ils se souvinrent... ». C'est vers ce *Jésus des évangiles*, ce Jésus dont on se souvient à la lumière pascale, que je me tourne maintenant.

LE JÉSUS DES ÉVANGILES QUI EST LE JÉSUS DE LA FOI

Il n'est pas question ici d'entrer dans beaucoup de détails. Brown et ses personnages proclament dans le *Da Vinci Code* que la divinité de Jésus est une invention de l'Église postérieure et que Constantin l'aurait fait voter au concile de Nicée en 325, éliminant en même temps « des centaines de textes qui racontaient sa vie d'homme – d'homme mortel » (p. 379). Il faut d'abord dire que les évangiles canoniques ne cachent en rien la vérité humaine de Jésus. Ce sera là, au contraire, comme on le verra, leur plus grand problème. Il suffira ensuite, pour terminer, de relire simplement un certain nombre de textes du Nouveau Testament, pris autant chez Paul que dans les évangiles, des textes qui proclament hors de tout doute, dès les premiers balbutiements, si j'ose dire, du christianisme, la foi en la filiation divine de Jésus.

Les évangiles et l'aspect humain de Jésus

D'abord, il est absolument faux de dire que les évangiles canoniques ont négligé ou caché le côté humain de Jésus, lui qui a une mère, une famille, des frères et sœurs (Mc 6, 3), et même un métier (il est charpentier, travailleur du bois, selon Mc 6, 3). Dans l'évangile de Jean, lequel va proclamer si hautement sa divinité, on le trouve fatigué de la route et assis tout simplement au bord du puits (Jn 4, 6) ; il est ému profondément et pleure son ami Lazare (Jn 11, 33-35). Mais surtout tous les évangiles, et particulièrement les synoptiques (Matthieu, Marc et Luc), soulignent son angoisse et sa peur à l'agonie, son arrestation et sa mort sur la croix, dans un grand cri de détresse (cf. Mc 15, 34, 37). Un prophète mortel, assurément. Mais, dire que «Jésus n'était jusqu'alors considéré que comme un prophète mortel», comme dit la traduction française du roman (p. 377)[1], c'est une autre histoire.

Car c'est justement de ce personnage mort sur la croix que les disciples, après la résurrection, proclament la divinité.

La confession de sa divinité dans les textes du Nouveau Testament

La confession de la divinité de Jésus apparaît déjà dans les premières confessions de foi d'origine judéo-chrétienne, comme on le voit en Ac 2, 36 : « Dieu l'a fait Seigneur et Christ, ce Jésus que vous, vous aviez crucifié ». Jésus ne devient pas tel (titre seigneurial, titre de divinisation) à la résurrection. Ce n'est pas Jésus qui change, c'est le regard porté sur lui : la nouveauté radicale du regard pascal[2].

Cette proclamation de la divinité se manifeste aussi dès les premières confessions de foi qui sont citées par exemple dans les lettres de Paul, et qui donnent comme un résumé de cet Évangile que prêchaient les apôtres. En voici quelques exemples :

1. Formule de confession de foi, citée par Paul en **Rm 1, 3-4** (l'épître est de 57-58, et le texte cité par Paul est évidemment antérieur à cette date) :

> *Cet Évangile, que [Dieu] avait déjà promis par ses prophètes dans les Écritures saintes, concerne son Fils, issu selon la chair de la lignée de David, établi, selon l'Esprit*

Saint, Fils de Dieu, avec puissance par sa résurrection d'entre les morts, Jésus Christ notre Seigneur.

Dans cette confession de foi, « Paul mesure déjà la distance entre la reconnaissance d'un descendant de David, considérée d'un point de vue humain, et celle du Fils de Dieu, délivrée par l'Esprit », Perrot, p. 127.

2. Hymne chrétien très ancien, cité par Paul en **Ph 2, 6-11** (vers 56) :

> *Comportez-vous [...] comme on le fait en Jésus Christ :*
> *lui qui est de condition divine, n'a pas considéré comme une proie à saisir d'être l'égal de Dieu.*
> *Mais il s'est dépouillé, prenant la condition de serviteur, devenant semblable aux hommes et, par son aspect, il était reconnu comme un homme ;*
> *il s'est abaissé, devenant obéissant jusqu'à la mort, à la mort sur une croix.*
> *C'est pourquoi Dieu l'a souverainement élevé et lui a conféré le Nom qui est au-dessus de tout nom, afin qu'au nom de Jésus tout genou fléchisse, dans les cieux, sur la terre et sous la terre,*
> *et que toute langue confesse que le Seigneur, c'est Jésus Christ, à la gloire de Dieu le Père.*

Préexistence proprement divine affirmée ici ? Selon Perrot, un certain flou persiste, car c'est finalement toute la foi monothéiste qui est ici en jeu : « Il n'est pas facile de dire Jésus sans tomber dans le dy-théisme ou le tri-théisme. Car tel est bien l'effort insensé de tout le Nouveau Testament, dans sa lutte avec l'ange de Dieu, comme Jacob », p. 261.

3. Hymne chrétien primitif, cité par Paul en **Col 1, 15-17** (vers 61-63) :

> *Il est l'image du Dieu invisible, premier-né de toute créature, car en lui tout a été créé, dans les cieux et sur la terre, les êtres visibles comme les invisibles, Trônes et Souverainetés, Autorités et Pouvoirs.*
>
> *Tout est créé par lui et pour lui, et il est, lui, par devant tout...*

« Cette fois, Jésus est projeté plus encore dans l'originaire », Perrot, p. 278, c'est-à-dire en Dieu.

Proclamations enfin de la divinité de Jésus, formulées par Paul lui-même en

Rm 9, 5 (vers 57-58) :

eux [les pères, les Israélites], de qui, selon la chair, est issu le Christ qui est au-dessus de tout, Dieu béni éternellement. Amen.

1 Co 8, 6 (vers 56) :

il n'y a pour nous qu'un seul Dieu, le Père, de qui tout vient et vers qui nous allons, et un seul Seigneur, Jésus Christ, par qui tout existe et par qui nous sommes.

Col 2, 9 (vers 61-63) :

Car en lui habite toute la plénitude de la divinité, corporellement...

Les évangiles synoptiques paraissent, à première vue, plus discrets. Mais dans leur manière d'utiliser les titres de Messie, de Fils de Dieu ou de Seigneur, on perçoit comme un dépassement constant du langage. Jésus est *plus* que Jonas, *plus* que Salomon (Mt 12, 41-42), *plus* que le Temple, le lieu même de l'habitation divine (Mt 12, 6), *plus* que David (Mt 12, 35), *plus* que Moïse (Mt 17, 3), comme s'il y avait *toujours plus* à dire à son sujet. Implicitement,

Jésus est mis du côté de Dieu. Dans un texte comme Mc 13, 32, par exemple, même si le passage est apparemment dépréciatif: « Ce jour-là [le jour eschatologique] [...], nul ne le connaît, ni les anges, ni le Fils, sinon le Père », le mot *Fils* à l'absolu souligne « l'appartenance radicale de Jésus au monde de Dieu », Perrot, p. 223.

Mais ce sont évidemment les textes de l'évangile de Jean qui disent le plus explicitement cette divinité de Jésus :

Jn 1, 1-2.14.18 (à la fin du premier siècle) :

Au commencement était le Verbe, et le Verbe était tourné vers Dieu, et le Verbe était Dieu.

Il était au commencement tourné vers Dieu. Tout fut par lui [...]

Et le Verbe fut chair [a commencé à exister dans la condition humaine] et il a habité parmi nous [...]

Personne n'a jamais vu Dieu; le Fils unique qui est dans le sein du Père, nous l'a dévoilé.

Jn 5, 18 :

Dès lors les Juifs n'en cherchaient que davantage à le faire périr, car non seulement il violait le sabbat, mais encore il appelait Dieu son propre Père, se faisant ainsi l'égal de Dieu.

Jn 10, 33 :

Ce n'est pas pour une belle œuvre que nous voulons te lapider, mais pour un blasphème, parce que toi qui es un homme, tu te fais Dieu.

Jn 20, 28 :

Thomas lui répondit : « Mon Seigneur et mon Dieu ».

Jn 20, 31 :

Ceux-ci [les signes faits par Jésus sous les yeux de ses disciples et consignés dans ce livre] l'ont été pour que vous croyiez que Jésus est le Christ, le Fils de Dieu, et pour que, en croyant, vous ayez la vie en son nom.

On pourrait continuer longtemps. La conclusion est claire : la foi en la condition divine de Jésus est affirmée explicitement dans ces textes du premier siècle. On peut dire qu'elle l'est implicitement dans tous les récits évangéliques. Bien avant Constantin, bien avant le concile de Nicée.

La « bataille du monothéisme »

Mais il faut se rendre compte qu'il n'était pas facile pour les premiers chrétiens de trouver le langage approprié pour dire l'inouï de la découverte qu'ils avaient faite dans l'expérience pascale. N'oublions pas que les premiers chrétiens étaient juifs. Dans un monde où pullulaient d'innombrables dieux et déesses, les juifs – et les premiers chrétiens après eux – affirmaient l'existence d'un seul Dieu. C'était la foi même de Jésus. Au scribe qui lui demande quel est le premier commandement, Jésus répond, en citant le *Shema Israël* (Deutéronome 6, 4) : « c'est : Écoute Israël, le Seigneur (Yahvé) notre Dieu est l'unique Seigneur... » (Mc 12, 29). Tout le problème des auteurs du Nouveau Testament sera de désigner Jésus sans sombrer dans l'idolâtrie, sans nier l'existence d'un seul Dieu. « La bataille monothéiste est au cœur de ces écrits. Comment, au sein même du monothéisme, est-il possible de dire le "Nom au-dessus de tout nom" ? Sans faillir dans quelque compromission, les premiers chrétiens tiendront les deux bouts de la chaîne : celle [il faudrait dire *celui*, me semble-t-il] du monothéisme qui les relie à Israël et celle [celui] d'une proclamation qu'ils ne peuvent pas ne pas lancer dans l'éblouissement du Seigneur pascal» (Perrot, p. 284). La bataille va se poursuivre au cours des siècles. C'est elle qui éclate avec force à Nicée et qui se poursuivra dans les grands conciles jusqu'au 7e siècle.

Cette affirmation chrétienne reste scandaleuse, difficile à avaler, comme en témoigne, non pas tellement un roman comme celui de Dan Brown, mais les réactions qu'il a suscitées dans le monde. Comment comprendre que quelqu'un soit en même temps, sans compromission, homme véritable, Dieu véritable. C'est la foi chrétienne. Une affirmation qui semblerait devenue plus difficile à croire à notre époque? On aurait envie de s'en étonner quand, paradoxalement, on voit les gens tout prêts à croire n'importe quoi aujourd'hui!

* * *

Je me suis souvenu, en terminant ce « débroussaillage », d'un avertissement de Paul à Timothée, qui m'est apparu soudainement d'une très grande pertinence :

> *Je t'adjure en présence de Dieu et du Christ Jésus [...] proclame la Parole, insiste à temps et à contre-temps. [...] Viendra un temps, en effet, où certains ne supporteront plus la saine doctrine, mais, au gré de leurs propres désirs et l'oreille leur démangeant [je traduirais : prêts à tout entendre, à tout gober...], s'entoureront de quantité de maîtres. Ils détourneront leurs oreilles de la vérité, pour se tourner vers des fables.*
>
> *Deuxième épître à Timothée 4, 1-4*

NOTES

Introduction

1. Compétences – pour en nommer quelques-unes – dans le domaine des manuscrits anciens pour essayer d'établir, à partir des copies disponibles, un texte qui soit le plus près possible de l'original (critique textuelle, papyrologie, etc.). Compétences dans le domaine des langues anciennes (hébreu, araméen, grec, latin et autres langues de certains manuscrits, comme le syriaque ou le copte...) pour lire les textes, non pas en traductions, mais dans leur langue originale. Compétences dans le vaste domaine de l'histoire (archéologie, étude des civilisations anciennes et particulièrement, pour les évangiles, étude des aspects sociohistoriques de la Palestine et de la Galilée du premier siècle, étude des différents mouvements religieux ou judaïsmes de l'époque, parmi lesquels, notamment, celui du groupe mis en lumière par la découverte de Qumrân et des manuscrits de la mer Morte en 1947) pour essayer de cerner le milieu qui fut celui de Jésus et les influences qu'il a pu subir. Compétences importantes aussi dans le domaine littéraire (littératures, formes littéraires et rhétorique anciennes). Sans compter, finalement et peut-être principalement, le domaine des idées philosophico-religieuses (exprimées par exemple dans

les documents anciens qui n'ont pas été retenus comme exprimant la foi de la grande Église et qu'on appelle « apocryphes », comme les textes gnostiques de Nag Hammadi découverts en Égypte vers 1945) et celui des idées proprement théologiques que ces textes véhiculent. Toutes choses qu'on n'exigera pas d'un romancier et qu'on ne lui reprochera pas d'ignorer, sauf, bien sûr, s'il se pique lui-même de compétence en ces domaines...

2. Quarante millions selon Sonia Sarfati, *La Presse*, 12 février 2006 : *Littératures*, p. 11.

3. Ces divisions ne sont pas étanches et il sera question d'*histoire* dans les trois parties. Le *Jésus de la foi*, par exemple, qui est celui des évangiles canoniques – Matthieu, Marc, Luc et Jean – n'exclut pas le *Jésus historique*, comme l'indique explicitement la démarche de Luc auprès des « témoins oculaires » (Lc 1, 2). Cette référence à l'histoire semble plus implicite dans le plus théologique des évangiles, celui de Jean. Mais, là encore, elle est bien réelle comme l'indique la conclusion même de l'évangéliste : « Jésus a opéré sous les yeux de ses disciples bien d'autres signes qui ne sont pas consignés dans ce livre. Ceux-ci l'ont été pour que vous croyiez que Jésus est le Christ, le Fils de Dieu, et pour que, en croyant, vous ayez la vie en son nom » (Jn 20, 30-31). Des signes, non pas inventés, mais « opérés sous les yeux des disciples ». Les disciples sont témoins de choses arrivées et l'histoire est d'ailleurs exigée par la foi même en l'Incarnation et sa compréhension théologique.

4. Toutes les références renvoient à Dan Brown, *Da Vinci Code*. Traduit de l'anglais (États-Unis) par Daniel Roche, JC Lattès (Pocket 12265), 2004. Le texte original anglais, qui

sera parfois comparé à la version française est celui de Dan Brown, *The Da Vinci Code*, A Novel, Doubleday, 2003.

5. Brown propose une étymologie du Graal. Le mot, sous sa forme la plus ancienne, aurait été coupé autrement : *San Greal* ou *Saint-Graal* se serait écrit *Sang Real, sang royal* (p. 405). Selon Régis Burnet, *Marie-Madeleine. De la pécheresse repentie à l'épouse de Jésus. Histoire de la réception d'une figure biblique* (Lire la Bible, 140), Paris, Cerf, 2004, p. 112-113, cette étymologie viendrait d'une erreur de traduction d'un auteur anglais, sir Thomas Malory (v. 1408-1471), lequel, dans sa traduction d'ouvrages français sur le Graal (huit romans sur la légende d'Arthur, publiés en 1485 sous le titre *La Mort d'Arthur*), tout en se référant souvent à la coupe en disant « *the Holy Grayle* » (traduction exacte du français *le saint Graal*), aurait traduit quelquefois par « *the Sankgreal* », en lui donnant « le sens de *the blyssed bloode of our Lorde Jhesu Cryste*, le sang béni de Notre Seigneur Jésus Christ » (p. 112). Le « Sang réal » serait né « d'une erreur de traduction d'un Anglais vivant sous le règne des Tudor » (p. 113). Burnet (comme il l'indique d'ailleurs, n° 277, p. 135) a cueilli cette information chez R.S. Loomis, dans *The Grail : From Celtic Myth to Christian Symbol*, New York, Columbia University Press, 1963, p. 25 et 158.

6. « La descendance de Jésus [se serait] perpétuée en France, dans le silence. Elle s'est même enrichie, au ve siècle, en se mêlant avec un autre sang royal, pour créer la lignée mérovingienne » (première dynastie des rois francs) (p. 417).

7. Ce qui ne correspond à aucune réalité, la petite pyramide étant un bloc de pierre posé sur le sol.

8. On connaît les aventures récentes aux États-Unis de James Frey, l'auteur de *A Million Little Pieces*. L'auteur avait d'abord soumis son ouvrage comme roman à plusieurs éditeurs qui l'ont refusé, mais Doubleday a décidé de le publier comme *mémoire*, un genre littéraire où cette « aura de vérité » attire précisément la sympathie et l'intérêt du lecteur. Encensé comme ouvrage de non-fiction au palmarès du *Book Club* d'Oprah Winfrey, l'ouvrage s'est vendu à des millions d'exemplaires. Mais la fraude a été découverte et l'auteur a dû avouer publiquement avoir fabriqué plusieurs des événements qu'il raconte, avoir inventé beaucoup de détails pour corser son récit. Oprah Winfrey s'est dite flouée. De nombreux journalistes ont alors souligné que la distinction entre le vrai et le faux n'avait plus cours dans la vie publique aux États-Unis (ni ailleurs, sans doute !). Frank Rich, en particulier, écrivait dans le *New York Times* (January 22, 2006) : « What matters most now is whether a story can be sold as truth [...] It's the power of the story that always counts first, and the selling of it that comes second. Accuracy is optional. » Vendre son histoire « as truth » ajoute très certainement au « power of the story ». Pour une bonne part, c'est précisément cette prétention à la vérité et à l'exactitude qui a fait, à mon avis, le succès du *Da Vinci Code*.

Ajoutons que les remerciements également, en fin d'ouvrage, contribuent subtilement à cette aura de vérité qu'entretient l'auteur. Brown y remercie le musée du Louvre, le projet Gutenberg, la Bibliothèque nationale de Paris, la revue *Catholic World News* et plusieurs institutions scientifiques, ce qui pourrait laisser entendre que toutes ces institutions et tous ces organismes ont fourni des renseignements permettant d'étayer sa thèse. Mais les *Catholic World News*, par exemple, contactées à ce sujet, ont été surprises de se retrouver dans cette liste de remerciements et n'ont aucune trace d'un contact quelconque avec Brown. Peut-être, disent-elles, Brown a-t-il tout simplement consulté leur site Internet. Le projet Gutenberg et d'autres organismes ont aussi leur site que tout le monde peut consulter. Ce qui n'autorise pas à invoquer leur autorité pour augmenter sa propre crédibilité. Voir pour ceci le site Internet : Catholic Answers Special Report : Cracking The Da Vinci Code, http :// www.catholic.com/library/cracking_da_vinci_code.asp

9. Sur le site Internet de Radio-Canada (Guide culturel - Livres), Pietro Boglioni, historien à l'Université de Montréal, dit que dans l'édition italienne l'auteur fait une mise en garde : ce livre est une fantaisie ! Un avertissement qu'on ne trouve ni dans l'original anglais ni dans la version française. Pourquoi ce traitement spécial en Italie ? Le réalisateur du film qui vient d'être tourné (Ron Howard) aurait voulu, lui aussi, selon *Paris-Match* (n° 2956, du 12 janvier au 18 janvier 2006), « désamorcer la polémique en stipulant clairement que ce film est une fiction » (p. 58). Dès le 9 février 2006, alors que la sortie du film est annoncée pour le 19 mai, la compagnie Sony Pictures, distributrice du film, a créé un site Web (www.thedavincichallenge.com) offrant à 45 écrivains chrétiens une tribune où discuter les différents aspects théologiques ou historiques du film ou du roman. Largeur d'esprit ou tactique habile pour éviter un concert de protestations ?

10. Régis Burnet fournit à ce propos toutes les informations et références pertinentes dans *Marie-Madeleine...*, p. 113-116.

11. On trouve sur Internet toute une série d'interventions qui s'amusent à relever et à dénoncer les erreurs, imprécisions ou approximations, qu'on trouve dans le roman, concernant ces monuments et œuvres d'art. (Je n'ai pas fait une recherche globale, mais ai simplement mis dans *Google* : « Le Louvre – La pyramide inversée » et en ai trouvé une longue liste.)

12. Paul Ricœur, *La mémoire, l'histoire, l'oubli*, Paris, Seuil, 2000, p. 214.

13. Bart D. Ehrman, bibliste, spécialiste de critique textuelle et des origines du christianisme, a développé ce point dans *Truth and Fiction in The Da Vinci Code*, New York, Oxford University Press, 2004, p. 101-103.

Le Jésus du roman

1. Le rôle de ce dernier semble être de confirmer et parfois de compléter les affirmations de Teabing : p. 374, 377, 379, 411. En 380, il adoucit Teabing.

2. C'est l'adjectif qui caractérise même l'ouvrage capital de John P. Meier, *A Marginal Jew. Rethinking the Historical Jesus*, Doubleday, qui compte actuellement trois volumes : 1991, 1994 et 2001.

3. L. H. Schiffman, *Les manuscrits de la mer Morte et le judaïsme. L'apport de l'ancienne bibliothèque de Qumrân à l'histoire du judaïsme*, traduit, révisé et mis à jour par Jean Duhaime, Montréal, Fides, 2003, p. 445.

4. Voir John. P. Meier, *A Marginal Jew*, t. I, 1991, p. 340.

5. Sur le statut marital de Paul, John P. Meier écrit : « I think it more probable that Paul, like Jesus, like the Baptist, and some

Essenes, belonged to a very small group of lifelong Jewish celibates », dans *A Marginal Jew*, t. I, n° 70, p. 366.

6. Jean Héring, *La première lettre de saint Paul aux Corinthiens*, Neuchâtel, Delachaux & Niestlé, 1959, p. 58.

7. Régis Burnet, *Marie-Madeleine...*, p. 16. Voir Mc 15, 40 (et 16, 1) qui parle, littéralement, de « Marie, celle de Jacques et mère de José » ; voir Jn 19, 25 : Marie, (femme) de Clopas... D'autres sont identifiées par leur lieu d'origine, ainsi Marie et Marthe de Béthanie (Jn 11, 1). Mais l'exemple le plus frappant est assurément celui de « Marie de Magdala » (du village de Magdala), « Marie la Magdalène » (*Maria è Magdalènè*), qu'on retrouve au moins 11 fois dans les évangiles et qui a donné Marie-Madeleine.

8. W. E. Phipps, dans son livre *Was Jesus Married ? The Distortion of Sexuality in the Christian Tradition*, New York, Harper & Row, 1970, a soutenu que Jésus était marié et à Marie-Madeleine. Mais John P. Meier, dans *A Marginal Jew*, t. I, p. 332-345, a réfuté solidement ses arguments.

9. Teabing parle de « historic records » (dans le texte anglais, p. 244, 245), ce que la traduction française rend par « il s'agit d'une déduction historique ». Une déduction : ce qui serait une manière peut-être, en français, d'avouer qu'il s'agit d'une interprétation et que les documents invoqués ne sont pas si clairs.

10. Elaine Pagels, *The Gnostic Gospels*, New York, Random House, 1979.

11. Voir Jacques Ménard, *L'Évangile selon Philippe*, Paris, Letouzey & Ané, 1967, p. 29-33.

12. Une formulation qui rappelle curieusement celle de Mc 3, 35 : « Quiconque fait la volonté de Dieu, voilà mon frère, ma sœur, ma mère ».

13. Traduction de Ménard en regard du texte copte, p. 63, 71 et 73. Les mots entre crochets correspondent aux lacunes dans le manuscrit et sont des reconstitutions. Cette restoration cependant, « on the basis of the efforts of a whole generation of scholars », a été faite « so far as is possible with some certainty or probability », affirme H.-M. Schenke, dans W. Schneemelcher (ed.), *New Testament Apocrypha*, I, Cambridge/Louisville, James Clarke & Co/Westminster et John Knox Press, 1991, p. 182. Ménard ajoute en note (p. 47) que « les termes grecs entre parenthèses sont ceux conservés par le traducteur copte ». Les deux *mathètès* entre crochets sont donc une hypothèse des auteurs de la restoration.

14. Dierdre Good, dans une entrevue intitulée « *Da Vinci Code* a recours à la fiction pour interpréter l'imprécision historique... », parue dans le recueil de Dan Burstein traduit par Guy Rivest, *Les secrets du Code Da Vinci*, Montréal, Les Intouchables, 2004, p. 82-86 (ici, p. 86).

15. F. J. Leenhardt, *L'épître de saint Paul aux Romains*, Neuchâtel, Delachaux & Niestlé, 1957, écrit, à propos de Rm 16, 16 : « La coutume de saluer par un "saint baiser" était répandue dans les Églises [...]. On a supposé que l'épître était lue au cours de la célébration de l'eucharistie, le saint baiser étant donné à la fin de la lecture » (p. 216).

16. Voir Anne Pasquier, *L'évangile selon Marie*, Québec, Les presses de l'Université Laval, 1983, p. 1.

17. E. De Boer, dans *The Gospel of Mary. Beyond a Gnostic and a Biblical Mary Magdalene*, London-New York, T & T Clark International, 2005, dit aussi : « some decades before the beginning of the third century » (p. 14).

18. Cette lecture est cependant contestée par E. De Boer, p. 202 : « Nothing is said of females who would have to become male », et p. 203, 208. Elle s'était d'ailleurs empressée de traduire le mot *Homme* du texte copte par *Human being*..., p. 21.

19. Voir les Actes 7, 58 ; 8, 1.3 ; 9, 1.8.11.22.24 ; 11, 25.30 ; 12, 25 ; 13, 1.2.7.9. Il prend le nom romain de Paul, en Ac 13, 9, après la conversion du proconsul romain, Sergius Paulus.

20. Pour tous ces renseignements, voir, dans l'encyclopédie *Catholicisme*, Paris, Letouzey et Ané, les articles sur Marie-Madeleine, Marthe, Sainte-Baume et Saintes-Maries-de-la-mer. Voir le résumé par Régis Burnet de tout ce « cycle de Béthanie » : « De Vézelay à la Sainte-Baume », dans *Marie-Madeleine*..., p. 85-91.

21. Il ne faut pas se laisser tromper par l'édition critique que James M. Robinson, Paul Hoffmann et John S. Kloppenborg viennent d'éditer, *The Critical Edition of Q*, Peeters, Leuven, 2000. Elle est, assurément, le résultat remarquable des efforts considérables de bataillons d'exégètes, depuis près de 175 ans, mais elle reste une reconstruction hypothétique toujours contestable.

22. Le texte anglais dit : « thereby defusing any potential claims that Christ had a surviving bloodline and was a mortal prophet » (p. 254).

23. Le texte anglais dit le plus souvent : « The Church » cf. p. 257, 266, 267, ce que la version française biaise, consciemment ou inconsciemment, en traduisant parfois par *nouvelle Église catholique* (p. 416 ; pour « the early Church », p. 257), parfois par *Église catholique* (p. 431) et très souvent par *Vatican* (p. 432, 433, 435).

24. Brown et ses comparses ne semblent pas savoir que la foi chrétienne n'a jamais nié l'humanité mortelle de Jésus et qu'elle affirme en même temps sa divinité et son humanité : vrai Dieu et vrai homme. Et c'est justement là le problème : comment être les deux à la fois ? Problème christologique, qui sera discuté d'abord à Nicée en 325 (la vérité de la filiation divine, cf. B. Sesboüé, *Jésus-Christ dans la tradition de l'Église* (Jésus et Jésus-Christ, 17), Paris, Desclée, 1982, p. 14), à Éphèse en 431 (la vérité de l'humanisation de Dieu), à Chalcédoine en 451 (Jésus vérité de Dieu et vérité de l'homme) et encore aux conciles de Constantinople II en 553 et Constantinople III en 680-681, avant d'alimenter la réflexion christologique jusqu'à nos jours. Le mystère de l'Incarnation, c'est-à-dire Dieu, ce « mystère sans nom », dans la chair humaine, ne cesse de nous interroger. Des romans comme celui de Dan Brown n'auraient assurément qu'un piètre succès, s'ils ne mettaient en cause précisément, à partir de prétendues révélations, cette foi chrétienne.

25. L. H. Schiffmann, *Les manuscrits de la mer Morte et le judaïsme*, p. 409, 445.

26. Le texte français dit : *les parchemins* coptes (p. 380), ce qui est mieux que « the Coptic Scrolls » du texte anglais (p. 234), car ce ne sont pas des *rouleaux*, mais bien des codex qu'on a trouvés à Nag Hammadi. Exactitude complète de la description des documents présentés !

27. Arius était un chrétien de culture grecque. Il cherchait à comprendre (c'est la définition même de la théologie) les données évangéliques sur Jésus : comment comprendre que Jésus, un homme, qui a souffert et qui est mort, puisse être fils de Dieu. En quel sens est-il Dieu ? Est-il égal au Père ? Ce qui était

en jeu, c'était la nature même de Dieu, la foi monothéiste. Au Concile, les évêques formuleront leur credo : « Nous croyons... en un seul Seigneur Jésus-Christ, le Fils de Dieu, né Monogène du Père, c'est-à-dire de la substance du Père, Dieu de Dieu, Lumière de Lumière, vrai Dieu de vrai Dieu, engendré non pas créé, consubstantiel au Père » (cf. Sesboüé, p. 97). Il faut toujours maintenir les deux : vrai homme (la solidarité humaine), vrai Dieu (la solidarité divine). Jésus est médiateur, il fait le pont, solidaire des deux parties. Nicée défend la solidarité divine. Il n'invente rien. « Nicée n'est qu'une conclusion tirée sur l'Évangile » (Sesboüé, p. 107), comme nous le verrons.

28. Certains historiens pensent que ce fut le 1er juin ; voir T.D. Barnes, dans *Early Christianity and the Roman Empire*, Variorum Reprints, 1984 ; texte XVIII, p. 56 et 72, n° 24.

29. Voir l'art. « Constantin le Grand » dans *Catholicisme*, t. 3, col. 99.

30. Cf. Charles Munier, *Saint Justin. Apologie pour les chrétiens*, 67.3. Éditions universitaires Fribourg Suisse (Paradosis, Études de littérature et de théologie anciennes, 39), 1995, p. 123.

31. On a un texte d'Origène (mort vers 253) qui dit les choses de belle manière : « Je sais qu'il existe un évangile qu'on appelle "selon Thomas", un autre "selon Matthias" ; et nous en lisons quelques autres encore pour ne pas avoir l'air d'être ignorants à cause de ceux qui s'imaginent savoir quelque chose quand ils connaissent ces textes. Mais, en tout cela, nous n'approuvons rien sinon ce qu'approuve l'Église : on doit admettre quatre évangiles seulement » (*Homélies sur S. Luc*, I, 2 ; le texte d'Origène que nous possédons est la traduction latine faite par saint

Jérôme, que F. Fournier a traduit en français dans *Sources chrétiennes*, 87, Paris, Cerf, 1962, p. 101.).

32. *Vie de Constantin* 4. 36. Voir Bruce M. Metzger, *The Text of the New Testament: Its Transmission, Corruption, and Restoration*, 3rd ed., New York, Oxford University Press, 1992, p. 7 et 279.

33. Il parle même de l'*Évangile selon Judas* (*Contre les hérésies*, I, 31, 1) dont on annonce la publication pour Pâques de cette année (2006), autour duquel on fera sans doute aussi un peu de bruit!

34. Parmi les écrits apocryphes chrétiens que nous connaissons, on compte, dans la catégorie des évangiles narratifs (Narrative Gospels), 9 évangiles ou fragments d'évangiles; dans celle des dialogues de révélation ou discours (Revelation Dialogues and Discourses), 3 textes appelés évangiles (Évangile des Égyptiens, de Marie, de Philippe); parmi les évangiles de paroles (Sayings Gospels), l'Évangile de Thomas; parmi les traités (Treatises), l'Évangile de Vérité (The Gospel of Truth) et un autre évangile copte des Égyptiens. Ce qui fait 15 textes appelés « évangiles ». Il a dû en exister davantage, mais on reste loin des 80 évangiles et plus qui « auraient pu figurer dans le Nouveau Testament », selon Brown (p. 374). Cette liste est dressée par S.J. Patterson, in « New Testament Apocrypha », dans *Anchor Bible Dictionary*, vol. I, 1992, p. 294-296. Le volume intitulé *Écrits apocryphes chrétiens*, publié par Gallimard dans la « Bibliothèque de la Pléiade » (1997), contient *Sur Jésus et Marie* (sa mère) 12 textes dont 5 portent le titre d'*évangile*. On y trouve en plus 16 *Fragments évangéliques* qui sont ou bien des variantes manuscrites ou bien de courts passages d'évangiles

apocryphes cités par des écrivains ecclésiastiques anciens et, finalement, quelques *agrapha* (choses non écrites), paroles attribuées à Jésus mais qu'on ne trouve pas dans les évangiles canoniques. Rien qui approche encore d'une collection de 80 évangiles complets! Dans un article récent, Christopher Tuckett parle de 40 évangiles « autres » (« Forty other gospels », dans M. Bockmuehl and D. A. Hagner (ed.), *The Written Gospel*, Cambridge, Cambridge University Press, 2005, p. 238-253), mais il reconnaît qu'il faut élargir le concept d'« évangile » pour ce faire, que les textes qu'il retient ne sont pas du premier siècle, l'époque de la rédaction des évangiles canoniques (il établit sa limite autour du 5e siècle) et qu'il adopte le chiffre 40 pour son symbolisme biblique (« forty is a round number with Biblical overtones! », p. 238, nº 1)!

Le Jésus de l'histoire

1. Voir une bonne présentation de ce « faire de l'histoire » par Jacques Schlosser, dans son *Jésus de Nazareth*, Paris, Noêsis, 1999, p. 16-21 (ici, p. 17).

2. Dans l'ensemble, j'emprunte cette liste à E.P. Sanders, *The Historical Jesus*, London, Allen Lane/The Penguin Press, 1993, p. 10-11.

3. « For better or for worse, in our quest for the historical Jesus, we are largely confined to the canonical Gospels » (John P. Meier, *A Marginal Jew.* t. I, 1991, p. 140).

Le Jésus des évangiles qui est le Jésus de la foi

1. Alors que le texte anglais dit simplement que, jusqu'à ce moment dans l'histoire (Nicée !) Jésus était vu par ses disciples, « as a mortal prophet » (p. 233).

2. Voir pour toute la question de l'humanité et de la divinité de Jésus dans le Nouveau Testament l'important ouvrage de Charles Perrot, *Jésus, Christ et Seigneur des premiers chrétiens* (Jésus et Jésus-Christ, 70), Paris, Desclée, 1997, p. 127.

Dans cet ouvrage, les citations du Nouveau Testament sont en général tirées de la Traduction œcuménique de la Bible (1972).

Abréviations utilisées, selon l'ordre des livres du Nouveau Testament

Mt	L'Évangile selon saint Matthieu
Mc	L'Évangile selon saint Marc
Lc	L'Évangile selon saint Luc
Jn	L'Évangile selon saint Jean
Ac	Les Actes des Apôtres
Rm	Épître de Paul aux Romains
1 Co	Première épître de Paul aux Corinthiens
2 Co	Deuxième épître de Paul aux Corinthiens
Ph	Épître de Paul aux Philippiens
Col	Épître de Paul aux Colossiens
1 Th	Première épître de Paul aux Thessaloniciens
2 Tm	Deuxième épître de Paul à Timothée
Phm	Épître de Paul à Philémon
2 P	Deuxième épître de saint Pierre

TABLE DES MATIÈRES

MARQUIS
MEMBRE DU GROUPE SCABRINI
Québec, Canada
2006